Camille Saint-Saëns

SONATE

opus 166

pour hautbois et piano • for oboe and piano
für Oboe und Klavier • per oboe e pianoforte

Introduction historique et notes critiques • *Historical introduction and editorial notes*
Einleitung und Kritische Anmerkungen • *Introduzione storica e note critiche*

Edmond Lemaître

Notes d'interprétation • *Notes on interpretation*
Anmerkungen zur Interpretation • *Note per l'interpretazione*

Jacques Tys

DURAND Editions Musicales

Édition du 29 janvier 2020

ISMN : 979-0-044-09494-3

DF 16629

Table - Contents - Inhalt - Indice

Introduction

Camille Saint-Saëns (1835 - 1921) nous laisse une trentaine d'œuvres publiées de musique de chambre. Huit d'entre elles utilisent des instruments à vent. Sa première pièce connue est la célèbre *Tarentelle* pour flûte, clarinette et piano, op. 6, qu'il compose en 1857 à l'âge de 22 ans (il en existe aussi une version orchestrale). Suivront la *Romance* pour cor et piano, op. 36 (1874), le célébrissime *Septuor* pour cordes, trompette et piano, op. 65 (1879), le *Caprice sur des airs Danois et Russes* pour flûte, clarinette, hautbois et piano, op. 79 (1887). Ces œuvres-là appartiennent au XIXe siècle. Plus proche de la pièce qui nous intéresse, citons la *Cavatine* pour trombone ténor et piano, op. 144, composée en 1915.

En ce qui concerne plus particulièrement le genre de la sonate, on sait qu'il écrivit dix œuvres de ce genre pour un instrument et piano. Seules sept d'entre elles survécurent : deux sonates pour violon (en 1885 et 1896) ; deux sonates pour violoncelle (en 1872 et 1905) et les trois sonates pour instruments à vent qu'il composa en 1921.

Saint-Saëns qui a vu passer sans s'émouvoir le *Quatuor* de Debussy, le *Manifeste du futurisme*, la musique atonale, *Le Sacre du printemps* ou encore *Parade* de Satie, est, en 1921, considéré par certains comme un compositeur d'arrière-garde. Il prit cependant assez tôt conscience des reproches que lui lançaient les critiques. Aussi en 1898, après avoir pris connaissance d'une œuvre qu'il jugeait par trop soumise à l'influence de l'école moderne, il écrivait à son éditeur Jacques Durand :

> La musique avait autrefois des moyens restreints, elle a maintenant un choix immense. Le difficile n'est plus de trouver des notes, mais de les employer à propos. En ce moment, certains compositeurs – même les bons – me font l'effet d'enfants tapant à tort et à travers sur un grand piano qu'ils voient pour la première fois, et, s'émerveillant de ce qu'il en sort, quel qu'il soit. C'est cela que je tâche d'éviter, c'est ce qui me donne l'air d'un réactionnaire. Je suis simplement prudent. Je ne vois pas la nécessité de mettre des diamants dans la soupe, et de semer des pétards dans un bal[1].

Au milieu du mois d'avril 1921, Saint-Saëns déclare au musicographe Jean Chantavoine[2] :

> En ce moment je consacre mes dernières forces à procurer aux instruments peu favorisés sous ce rapport les moyens de se faire entendre. [...] Je viens d'écrire une sonate en trois parties pour le hautbois, encore inédite. Restent la clarinette, le cor anglais, le basson ; leur tour viendra bientôt.

Deux mois plus tard les pièces pour clarinette et bassons sont terminées tandis que l'œuvre pour cor anglais ne verra jamais le jour. Avant de les livrer à la gravure, il tient absolument à vérifier que ses sonates ne comportent pas de passage inexécutable, aussi écrit-il à Jacques Durand, le 14 juin 1921 :

> [...] il faut absolument que les morceaux pour Hautb[ois], Clar[inette] et Bass[on] soient essayés par des exécutants avant de les éditer. Cela te regarde ! Je ne puis m'en occuper moi-même[3].

Cependant, une semaine plus tard, il écrivait au même Jacques Durand :

> Mr Bas est venu essayer ma sonate [pour hautbois] ; cela a marché comme sur des roulettes. Il a paru content que je lui ai offert la dédicace du morceau (ou plutôt des 3 morceaux qui composent le tout)[4].

Au début du mois de septembre les épreuves des nouveaux morceaux étaient corrigées. Les Éditions Durand publièrent les trois sonates au mois de novembre 1921.

Le dédicataire

Louis-Jean-Baptiste Bas (1863 - 1944), tenait le poste de Premier Hautbois solo de la Société des Concerts du Conservatoire et de l'Opéra de Paris. Il avait obtenu son Premier Prix de hautbois au Conservatoire de Paris en 1885. Il transcrivit certains des concertos pour hautbois et orchestre de Haendel pour hautbois et piano et laissa une littérature pédagogique pour son instrument en mettant notamment au point sa *Méthode nouvelle de hautbois* (1905) comportant, en fin de volume, dix-huit études progressives avec accompagnement de cor anglais ainsi qu'une *Sonate en trio* de Haendel avec la basse transcrite pour le cor anglais.

[1] Cité par Gustave Samazeuilh, *Musiciens de mon temps, Chroniques et Souvenirs*, Paris, Éditions Marcel Daubin, 1947, p. 40 - 41.

[2] Cf. Jean Chantavoine, *Camille Saint-Saëns*, Paris, Richard-Masse, 1947, p. 74.

[3] Cité par Sabina Ratner, *Camille Saint-Saëns. A Thematic Catalogue of his Complete Works*. Volume 1, New York, Oxford, Oxford University Press, 2002, p. 236.

[4] *Ibidem*.

Le 4 décembre 1921, il écrivait à Saint-Saëns :

> Monsieur Durand m'a envoyé un exemplaire de votre belle sonate pour Hautbois et piano. Je vous remercie encore et très sincèrement d'avoir bien voulu me faire l'honneur de me la dédier. Je serais bien heureux si vous pouviez m'accorder un moment, pour la mettre au point avec vous et recevoir vos précieux conseils[5].

Il est difficile de croire que le vœu de Louis Bas put s'accomplir car Camille Saint-Saëns s'éteignit quatorze jours plus tard, à Alger.

[5] *Idem*, p. 237.

Principes d'édition

Cette publication s'appuie sur deux sources principales : le manuscrit autographe de la partition générale et de la partie de hautbois ainsi que sur la première édition de l'œuvre. On trouvera la description de ces sources ci-dessous, dans les Notes critique. La partition générale et la partie de hautbois ont été mises en concordance. Les signes ou indications entre crochets [ ] ont été ajoutés par l'éditeur. Dans les Variantes qui suivent sont relevées toutes les différences entre les sources. On y trouvera aussi la justification des choix éditoriaux. Enfin, signalons que les entrées en caractères gras, qui signalent les variantes principales, renvoient aux appels de notes insérés dans la partition qui sont repérés ainsi : *.

Notes critiques

Abréviations

Hb : hautbois ; Pf inf : piano, portée inférieure ; mes. : mesure(s) ; p. : page(s).

Sources

A : manuscrit autographe de la partition piano / hautbois conservée au Département de la musique de la Bibliothèque nationale de France à Paris sous la cote Ms. 841. 19 pages à 12 portées écrites à l'encre noire, de format oblong 32,5×25 cm. Page de titre, verso blanc, 11 pages de musique numérotées de 1 à 11, verso de la page 11 blanc, 8 pages de musique numérotées de 12 à 19, 2 pages blanches – numérotation des pages par Saint-Saëns. Estampage « H. LARD-ESNAULT / Ed. BELLAMY S^r / PARIS » ; filigrane : « *F. Barjon Moirans Isère* ». Page de titre, à l'encre noire : « Sonate / *pour Hautbois* / avec accompagnement de piano ». Première page de musique au crayon gris : en haut, à gauche : « à Monsieur Louis Bas » ; au centre : « Sonate / pour hautbois avec acc^t de Piano » ; à droite : « C. Saint-Saëns ». À la fin, p. 19, signature du compositeur à l'encre noire « C. Saint-Saëns / 1921 ». Il s'agit du manuscrit préparé pour l'édition comme en témoignent les nombreuses indications sur la page de titre : en haut à gauche, au crayon gris « M. Douin [le graveur] / à graver / format in 4° » ; à droite au crayon bleu « Mounot » [l'imprimeur] et indication du nombre de pages à graver : 18 (partition générale) + 7 (partie de hautbois) = 25 pages. En dessous du titre, à gauche au crayon bleu « D.F 10062 » ; au même niveau à droite au crayon gris « Op. 166 » ; en bas au centre au crayon gris « Cot. D-F: / Copyright by Durand & Cie 1921 / Imp. Mounot ». Cote « Ms. 841 » à l'encre noire au centre en dessous de la dernière portée. Tampon ovale de couleur rouge « CONSERVATOIRE DE MUSIQUE * BIBLIOTHÈQUE » et tampon rond de couleur rouge « CONSERVATOIRE N^AL DE MUSIQUE * PARIS ».

Ahb : manuscrit autographe de la partie de hautbois conservée avec la partition générale : même cote, même format et même estampage que A. Page de titre, verso blanc, 10 pages de musique écrites à l'encre noire. Page de titre, à l'encre noire : « Hautbois » ; en haut à droite, au crayon gris : indication du nombre de pages à graver (7 pages). Première page de musique, à l'encre noire « à Monsieur Louis Bas ». Mêmes tampons que sur A.

E : première édition de la partition générale pour hautbois et piano, Durand, 1921, cotage D. & F. 10,062. Page de titre : C. SAINT-SAËNS / SONATE POUR HAUTBOIS / AVEC ACCOMPAGNEMENT DE PIANO / Op. 166 / CS^TS / Prix net : 6 fr. / A. Durand & Fils, Éditeurs, / Durand & Cie / Paris, 4, Place de la Madeleine / Déposé [...] ». 18 pages de musique numérotées de 2 à 19.

Ehb : première édition de la partie de hautbois, Durand 1921, insérée dans E ; même cotage. Page de titre + 7 pages de musique.

Le premier tirage (E + Ehb) comprenait 500 exemplaires ; dépôt à Paris du 9 novembre 1921.

Edmond Lemaître

Variantes

Mesure(s)	Hb / Pf	Source(s)	Remarques
I Andantino			
7	Pf inf	A	Pas de ‿
21	Hb	Ahb	*dim.* au 1er temps ; nous suivons E, A
28	Hb	—	∧ dans E, Ehb seulement
30	Hb	Ahb	Pas de ∧
35	Hb	Ahb	Pas de ⌒ du *sol* (1er temps) au *si* (3e temps)
43,44	Hb	Ahb, Ehb	⌒ du 1er au 2e temps ; nous suivons A, E
60 – 63	Hb	—	Continuation de *dim.*- - - - jusqu'à mes. 63 dans Ahb seulement
69	Pf	A	Pas de *dim.* ; grattage : apparemment ***pp*** gratté, puis placé à mes. 70
89	Pf	A	Pas de >
II *ad libitum*			
2	Hb	Ahb	Pas de 𝄐 sur le *la* (dernière note)
4 – 5	Hb	A	Une mesure barrée entre mes. 4 – 5 (1re version de la mes. 5)
6 – 7	Hb, Pf	E	Pas de 𝄐 entre mes. 6 – 7
29 – 30	Hb	A, E	⌒ sur chaque mesure ; ⌒ du 1er temps de mes. 29 à 3e temps de mes. 30 dans Ehb seulement
68	Hb	Ahb	Pas de *dim.*
III Molto allegro			
45	Pf inf	A	Pas de >
84 – 85	—	A	Une mesure barrée entre mes. 84 et 85 (version erronée de mes. 85)
94	Pf	A	Pas de >
130	**Pf inf**	**A, E**	*sol* (au lieu de *mi*) sur le 2e temps ; nous plaçons *mi* par cohérence avec la succession d'octaves de la phrase
136	Hb	—	< dans E seulement
137 – 139	Hb	A	Rature : présence d'une phrase de hautbois du 2e temps de mes. 137 jusqu'à fin de mes. 139, rayée et remplacée par des silences jusqu'au 1er temps de mes. 139 compris ; 2e temps de mes. 139 : version exacte superposée à la version rayée
139	Hb	Ahb	Pas de ***mf***
148	**Pf inf**	**A, E**	*la* (au lieu de *fa*♯ au 1er temps) ; nous plaçons *fa*♯ par cohérence avec la succession d'octaves de la phrase

Notes d'interprétation

Cette sonate pour hautbois et piano, que Saint-Saëns composa au crépuscule de sa vie, nous autres, hautboïstes, l'avons souvent abordée assez tôt dans notre parcours d'apprentissage.

Elle est, en effet, relativement jouable par de jeunes instrumentistes mais est-elle finalement si aisée ? Elle me semble au carrefour de plusieurs modes de jeu qui peuvent paraître paradoxaux :

- tout d'abord un caractère classique pour le hautbois à cette période, celui d'un instrument champêtre et bucolique – en témoigne le caractère pastoral du second mouvement ;
- une utilisation du hautbois plus violonistique – Saint-Saëns jusqu'à ce moment de sa vie, privilégia l'emploi des cordes dans sa musique de chambre car il était plus familier de leur écriture instrumentale ;
- et enfin, ce compositeur, qui contribua grandement à la redécouverte de musiciens du baroque français comme Jean-Philippe Rameau, dut penser à ce style dans le relatif dépouillement du début de la sonate, qui devrait peut-être sonner comme une invention à 3 voix d'un maître du XVIIIe siècle.

1er mouvement

C'est donc dans ce caractère relativement baroque que nous entrons dans cette pièce dans un tempo qui nous permettra de sentir ce balancement à la mesure, prenant appui sur les impulsions du piano des trois premières mesures, tout en évitant d'être trop rapide, afin que les contrepoints qui suivent se déploient en toute clarté.

Même si, à partir de la mesure 14, le hautbois peut sonner comme un chant romantique sur la quatrième corde du violon, on évitera de forcer le trait de certains ralentis intempestifs comme la fin des syncopes qui précèdent (mesures 11 – 12).

Dans les fusées (mesures 28 et 30) on rythmera ces gammes afin de conserver l'élan jusqu'à l'aboutissement.

La modulation au chiffre [1] nous permettra de poser l'enharmonique. Nous poursuivons par ce *stringendo* assez court qui doit, en quatre mesures seulement, nous amener le nouveau tempo dans une battue à un temps. Sur ce **Poco allegro**, on s'attachera à mettre en valeur les changements harmoniques, la mélodie s'activant par une sorte de strette par demi-tons successifs pour aboutir au *f* qui doit quand-même permettre au trille de tendre vers la mesure 53.

La réexposition, après ce passage d'où surgit un ternaire plein et passionné, sera le fruit d'un long pont modulant. Après l'orage, l'écriture nous amène assez naturellement au dépouillement initial. Ne ralentissons donc pas trop tôt...

Par contre, exagérons, mesure 87, l'antagonisme ternaire/binaire qui nous permettra de respirer avant le second temps de la mesure 88 et de déployer ce dernier *legato* libre et modulant qui nous ramènera au Ré majeur.

2e mouvement

Et maintenant cette sicilienne pastorale encadrée par deux cantilènes cadentielles.

Malgré l'absence d'indications dynamiques, il faudra varier l'agogique, le rubato, en tenant compte de l'harmonie des accords initiaux.

Varions aussi l'*arpeggiando* du clavier et le temps de réaction de la partie mélodique qui ne doivent pas être systématiques.

Le thème de la sicilienne, aussi circulaire soit-il, doit aussi échapper à la scansion par temps, surtout dans sa deuxième partie (mesures 11 – 12 et 15 – 16) où il conviendra d'enjamber les barres de mesure.

3e mouvement

Revoilà l'écriture très « cordes ».

La vélocité maîtrisée du *legato* confrontée au *staccato* volant et la diction très précise du hautbois sur les notes répétées donnent à ce dernier mouvement ce caractère virtuose dont Saint-Saëns fut friand.

Les mesures 50 – 56, jouées de façon immobile, presque glacées, s'opposeront ainsi aux volutes virtuoses qui suivent.

Les passages ternaires, toujours assumés et soutenus des mesures 77 – 82 ou 94 – 99 se confrontent à la fluidité des doubles croches.

Saint-Saëns utilise tout l'ambitus de l'instrument de l'époque. Ces notes aiguës (*fa ♯*, *sol*) doivent toujours sonner plus expressives et intenses. Elles permettent, notamment dans cette fin, de terminer dans la brillance que réclame la tonalité de Ré majeur.

Jacques Tys

Introduction

Camille Saint-Saëns (1835 – 1921) left us some 30 published works of chamber music, eight of them using wind instruments. His first well-known piece is the celebrated *Tarantelle* for flute, clarinet and piano, op.6, which he wrote in 1858 at the age of 22 (this work also exists in an orchestral version). There followed the *Romance* for horn and piano, op.36 (1874), the famous septet for strings, trumpet and piano, op.65 (1879), and the *Caprice sur des airs Danois et Russes* for flute, clarinet, oboe and piano, op.79 (1887). These works belong to the 19th century. Closer to the piece currently under consideration, we should mention the *Cavatine* for tenor trombone and piano, op.144, composed in 1915.

Concerning specifically the genre of the sonata, we know that while he wrote ten works in this form for one instrument and piano, only seven of them survive: two violin sonatas (1885 and 1896); two cello sonatas (1872 and 1905) and three sonatas for wind instruments that he composed in 1921.

Saint-Saëns, who had impassively witnessed Debussy's string quartet, the *Manifeste du futurisme*, atonal music, *Le Sacre du printemps* or even Satie's *Parade*, was, by 1921 considered by some to be a composer of the old school. He nevertheless took to heart quite quickly the accusations of his critics. Also in 1898, having become aware of a piece that he judged to be too heavily influenced by the modernist school, he wrote to his publisher Jacques Durand:

> Hitherto music had restricted means; now it has an immense choice. The difficulty is no longer to find the notes, but to use them appropriately. At the moment, some composers – even the good ones – make me feel as if they're hitting wrong notes all over the piano, which they're seeing for the first time, and are fascinated by the sounds that come out of it, whatever they may be. That is what I am trying to avoid, and it is that which gives me the air of a reactionary. I am simply cautious. I don't see the need to throw the diamonds into the soup, or to let off firecrackers at a dance.[1]

In the middle of April 1921, Saint-Saëns declared to the music critic Jean Chantavoine:[2]

> At the moment I am devoting my last energies to provide, for instruments poorly served in this respect, the means to make themselves heard. [...] I have just written a sonata in three parts for the oboe, as yet unpublished. There remain the clarinet, the English horn, the bassoon; their turn will come soon.

Two months later he finished the pieces for clarinet and bassoon (the one for English horn never saw the light of day). Before delivering the works to the engraver, he was anxious to check that his sonatas did not contain any unplayable passages. On 14 June 1921, he wrote to Durand:

> It's vital that the works for oboe, clarinet and bassoon are tried by performers before they are published. Over to you! I can't manage this myself.[3]

However a week later he wrote to Durand again:

> Mr. Bas has just tried my sonata [for oboe]; everything went like clockwork. He seemed happy that I propose to dedicate the piece to him (or rather the three pieces that make up the whole).[4]

By the beginning of September, the proofs of the new works had been corrected. Durand published the three sonatas in November 1921.

The dedicatee

Louis-Jean-Baptiste Bas (1863 – 1944) held the post of Principal Oboist of the Société des Concerts du Conservatoire et de l'Opéra de Paris. He gained the first prize for oboe at the Paris Conservatoire in 1885. He arranged some of Handel's concertos for oboe and orchestra as versions for oboe and piano, and wrote a number of pedagogic works for his instrument, notably his *Méthode nouvelle de hautbois* (1905). This included, at the end of the volume, 18 progressive studies with English horn accompaniment, as well as a trio sonata by Handel with the bass part transcribed for English horn.

On 24 December 1921, he wrote to Saint-Saëns:

> M. Durand sent me a copy of your beautiful sonata for oboe and piano. I thank you once again, and most sincerely, for honouring me by dedicating it to me. I would be very happy if you could find a moment so that I can perfect it with you and get your precious advice about it.[5]

---

[1] Quoted by Gustave Samazeuilh, *Musiciens de mon temps, Chroniques et Souvenirs*, Paris, Éditions Marcel Daubin, 1947, p. 40 – 41.

[2] See Jean Chantavoine, *Camille Saint-Saëns*, Paris, Richard-Masse, 1947, p. 74.

[3] Quoted by Sabina Ratner, *Camille Saint-Saëns. A Thematic Catalogue of his Complete Works*. Volume 1, New York, Oxford, Oxford University Press, 2002, p. 238.

[4] Ibidem.

[5] Ibidem, p. 237.

But it is hard to imagine that this wish could have been granted, because Saint-Saëns died just 14 days later, in Algiers.

About this edition

This publication uses two principal sources: the autograph manuscript of the score, and the oboe part, as well as the first edition of the work. The description of these sources can be found in the editorial notes below. The score and the oboe part have been brought into accordance. The signs or indications in brackets [ ] were added by the editor. In the list of Variants that follows, all the differences between the sources are listed. Here you will also find the reasons for the editorial choices. Finally, we should point out that the entries in bold type, which denote the most notable variants, are linked to the references to the notes inserted into the score, which are marked with asterisks: *.

Editorial notes

Abbreviations

Ob: oboe / Pf: piano / lh: left hand / b: bar / p: page(s).

Sources

A: autograph manuscript of the score (piano / oboe) kept in the music department at the Bibliothèque nationale de France, Paris, catalogue number Ms 841. 19 pages of 12 staves, written in black ink, rectangular format 32.5×25cm. Title page, title verso blank, 11 pages of music numbered 1 to 11, verso of page 11 blank, 8 pages of music numbered 12 to 19, two blank pages – pages numbered by Saint-Saëns. Stamped "H. LARD-ESNAULT / Ed. BELLAMY S^r^ / PARIS"; watermarked *"F. Barjon Moirans Isère"*. Title page, in black ink: "Sonate / *pour Hautbois* / avec accompagnement de piano". Page 1 of the music, in grey pencil: top left: "à Monsieur Louis Bas"; in the centre: "Sonate / pour hautbois avec acc^t^. de piano"; on the right: "C. Saint-Saëns". At the end, page 19: the composer's signature in black ink: "C. Saint-Saëns/1921". This is a manuscript prepared for publication, as shown by numerous indications on the title page: top left in grey pencil: "M. Douin / à graver / format in 4°" [M. Douin [the engraver] / to be engraved / 4° format]; top right in blue pencil: "Mounot" [the printer] and an indication of the number of pages to engrave: 18 (score) + 7 (oboe part) = 25 pages. Beneath the title to the left, in blue pencil: "D.F 10062"; on the same line, centred in grey pencil "Op. 166"; at the bottom, centred, in grey pencil "Cot. D-F: / Copyright by Durand & Cie 1921 / Imp. Mounot." Catalogue number "Ms. 841" in black ink in the centre, below the last stave. Oval stamp in red: "CONSERVATOIRE DE MUSIQUE * BIBLIOTHÈQUE" and round stamp in red: "CONSERVATOIRE N^AL^ DE MUSIQUE * PARIS".

Ahb: autograph manuscript of the oboe part, kept with the score: same catalogue number and stamps as A. Title page, blank title verso, 10 pages of music written in black ink. Title page, in black ink: "Hautbois"; top right, in grey pencil: indication of the number of pages to be engraved (7 pages). On the first page of music, in black ink: "à Monsieur Louis Bas". Same stamps as on A.

E: first edition of the complete score for piano and oboe, Durand, 1921, catalogue number D.&F. 10,062. Title page: "C. SAINT-SAËNS / SONATE POUR OBOE / AVEC ACCOMPAGNEMENT DE PIANO / Op. 166 / CS^TS^ / Prix net : 6 fr / A. Durand & Fils, Éditeurs, / Durand & Cie / Paris, 4, Place de la Madeleine / Déposé [...]". 18 pages of music, numbered 2 to 19.

Ehb: first edition of the oboe part, Durand 1921, inserted into E; same catalogue number, title page and 7 pages of music.

The first printing (E and Ehb) ran to 500 copies; deposit in Paris, 9 November 1921.

Edmond Lemaître
(translation by Anthony Marks)

VARIANTS

Bar(s)	Ob / Pf	Source(s)	Remarks
I Andantino			
7	Pf lh	A	No ⌣
21	Ob	Ahb	*dim.* on beat 1: we follow E, A
28	Ob	—	∧ in E, Ehb only
30	Ob	Ahb	No ∧
35	Ob	Ahb	No ⌒ from the G (beat 1) to the B (beat 3)
43,44	Ob	Ahb, Ehb	⌒ from beat 1 to beat 2; we follow A, E
60 – 63	Ob	—	Continuation of the *dim.*- - - - to bar 63 in Ahb only
69	Pf	A	No *dim.*; scratching out: apparently ***pp*** was scratched out then placed at bar 70
89	Pf	A	No >
II *ad libitum*			
2	Ob	Ahb	No 𝄐 on the final A
4 – 5	Ob	A	A crossed-out bar between bars 4 and 5 (first version of bar 5)
6 – 7	Ob, Pf	E	No 𝄐 between bars 6 and 7
29 – 30	Ob	A, E	⌒ on each bar; in Ehb only, ⌒ from beat 1 of bar 29 to beat 3 of bar 30
68	Ob	Ahb	No *dim.*
III Molto allegro			
45	Pf lh	A	No >
84 – 85	—	A	A crossed-out bar between bars 84 and 85 (incorrect version of bar 85)
94	Pf	A	No >
130	**Pf lh**	**A, E**	G (instead of E) on beat 2; we have opted for E to be consistent with the octave successions in the phrase
136	Ob	—	< in E only
137 – 139	Ob	A	Erasure : presence of an oboe phrase from beat 2 of bar 137 to the end of bar 139, scratched out and replaced by rests to beat 1 of bar 139 inclusive; beat 2 of bar 139: an exact version written over the scratched out version
139	Ob	Ahb	No ***mf***
148	**Pf lh**	**A, E**	A (instead of the F♯) on beat 1; we have opted for F♯ to be consistent with the octave successions in the phrase

Notes on interpretation

While Saint-Saëns composed this sonata for oboe and piano near the end of his life, we oboists often tackle it quite early in the course of our studies. It is relatively playable by young instrumentalists – but is it in fact as easy as it looks? It seems to me to stand at the crossroads of many modes of playing which can appear paradoxical:

- first of all, a style characteristic of oboe playing current at the time of the work's composition, that is, of a rustic, bucolic instrument (as shown in the pastoral character of the second movement);
- a more "violinistic" use of the oboe: until this point in his career, Saint-Saëns had favoured the use of stringed instruments in his chamber music because he was more familiar with how to write for them;
- and finally this composer, who contributed greatly to the rediscovery of French baroque musicians like Jean-Philippe Rameau, must have been thinking of this style in the relatively sparse texture of the opening of the sonata – which should perhaps sound like a three-part invention by an 18th-century master.

First movement

It is therefore in a rather baroque manner that we commence this piece, in a tempo that allows us to feel the beat as one-in-a-bar, in order that the counterpoint that follows unfolds very clearly.

Even if, from bar 14, the oboe might make a romantic sound like the G string of a violin, it is sensible to avoid making exaggerated, impulsive *rallentandi* in places like the end of the preceding syncopations (bars 11–12).

In the runs at bars 28 and 20, it is important to pace the scales in order to keep the momentum to their conclusion.

The modulation at figure [1] shifts us enharmonically into E♭. We proceed by means of a fairly short *stringendo* which must, in only four bars, lead us to a new tempo which is one-in-a-bar. At this **Poco allegro**, it is important to highlight the harmonic changes, the melody acting as a sort of *stretto* in successive semitones culminating in the *f* (bar 49) – which should nevertheless allow the trill to extend towards bar 53.

After this passage, from which surges a full, excited triplet section, the recapitulation arrives after a long, modulating bridge. After the storm, the writing leads us quite naturally once more to the sparse texture of the opening. Therefore take care not to slow down too soon.

On the other hand, in bar 87, emphasising the conflict between duplets and triplets allows the performer to breathe before beat 2 of bar 88 and to unfold this last, free, modulating *legato* which leads us back to D major.

Second movement

And now, a pastoral *Sicilienne* framed by two cadential recitatives. Despite the absence of indications, it is important to vary the dynamic range and the rubato, always keeping in mind the harmony of the initial chords. The rate of the arpeggios in the piano should be varied too, as should the reaction time of the oboe part (don't make it too systematic).

The *Sicilienne* theme, as circular as it is, should also be rhythmically relaxed at times, above all in the second section (bars 11–12 and 15–16), where it is appropriate to phrase across the barlines.

Third movement

Here again, the writing is very "string-like".

The controlled speed of the *legato* contrasted with the flying *staccato*, and the very precise diction of the oboe on the repeated notes, bring to this last movement the virtuoso character of which Saint-Saëns was so fond.

Bars 50–56, played as if they were immobile, almost frozen, should contrast with the virtuoso swirls of sound which follow.

The triplet passages in bars 77–82 or 94–99, always held and sustained, must contrast with the fluidity of the semiquavers.

Saint-Saëns uses the full range of the instrument at that time. The high notes (F♯ and G) should always sound more expressive and intense. They allow the performer, notably in these final bars, to conclude with the brilliance demanded by the key of D major.

Jacques Tys
(translation by Anthony Marks)

Einleitung

Camille Saint-Saëns (1835–1921) hat etwa dreißig publizierte Werke für Kammermusik hinterlassen. Acht davon sind für Blasinstrumente geschrieben. Die erste bekannte Komposition ist die berühmte *Tarentelle* für Flöte, Klarinette und Klavier op. 6, die er 1857 mit 22 Jahren komponierte (es existiert davon auch eine Orchesterversion). Es folgten die *Romance* für Horn und Klavier op. 36 (1874), das bedeutende *Septuor* für Streicher, Trompete und Klavier op. 65 (1879) und die *Caprice sur des airs Danois et Russes* für Flöte, Klarinette, Oboe und Klavier op. 79 (1887). Die Entstehungszeit dieser Werke liegt noch im 19. Jahrhundert. In größerer zeitlicher Nähe zu der hier vorgestellten Komposition entstand die *Cavatine* für Tenorposaune und Klavier op. 144, die 1915 geschrieben wurde.

An Sonaten im engeren Sinne der Gattung sind zehn Werke für ein Instrument und Klavier bekannt, von denen aber nur sieben überliefert sind: zwei Sonaten für Violine (komponiert in den Jahren 1885 und 1896), zwei Sonaten für Violoncello (komponiert in den Jahren 1872 und 1905) und die drei Sonaten für Blasinstrumente, die er 1921 komponierte.

Saint-Saëns, den Kompositionen wie Debussys *Quatuor*, das *Manifeste du futurisme*, die atonale Musik, der *Sacre du printemps* oder auch Saties *Parade* ziemlich gleichgültig gelassen hatten, wurde 1921 von vielen als ein Komponist betrachtet, über den die Zeit hinweggegangen war. Er war sich früh im Klaren über die Vorwürfe, die ihm von der Kritik gemacht wurden. Nachdem er eine Komposition zur Kenntnis genommen hatte, die er als zu sehr dem Einfluss der modernen Schule unterworfen fand, schrieb er 1898 an seinen Verleger Jacques Durand:

> Die Musik verfügte früher über eingeschränkte Mittel, jetzt hat sie eine ungeheure Auswahl. Die Schwierigkeit besteht nicht mehr darin, Noten zu finden, sondern sie in passender Weise einzusetzen. Derzeit wirken manche Komponisten – sogar die guten – auf mich wie Kinder, die blindlings in die Tasten eines riesigen Klaviers hauen, das sie zum ersten Mal sehen, und die sich über alles freuen, was dabei herauskommt, was immer es auch sei. Genau das versuche ich zu vermeiden, und das lässt mich wie einen Reaktionär erscheinen. Ich gehe aber einfach nur behutsam vor. Ich halte es nicht für nötig, Diamanten in die Suppe zu legen und bei einem Ball Knallfrösche explodieren zu lassen.[1]

Mitte April 1921 erwähnte Saint-Saëns gegenüber dem Musikwissenschaftler Jean Chantavoine[2]:

> Derzeit nutze ich meine letzten Kräfte für Kompositionen, mit denen ich Instrumenten, die in dieser Hinsicht etwas vernachlässigt worden sind, die Möglichkeit geben möchte, sich solistisch zu zeigen. [...] Ich habe gerade eine Sonate in drei Sätzen für Oboe geschrieben, die noch nicht veröffentlicht ist. Bleiben noch die Klarinette, das Englischhorn, das Fagott; sie sind bald an der Reihe.

Zwei Monate später waren die Kompositionen für Klarinette und Fagott fertig, das Stück für Englischhorn dagegen sollte niemals entstehen. Er legte größten Wert darauf, dass vor dem Druck der Werke überprüft wurde, ob darin nicht spielbare Passagen enthalten seien; so schrieb er in diesem Sinne am 14. Juni 1921 an Jacques Durand:

> [...] es ist unbedingt erforderlich, dass diese Werke für Ob[oe], Klar[inette] und Fa[gott] von Instrumentalisten durchprobiert werden, bevor sie gedruckt werden. Das ist Deine Sache! Ich kann mich nicht selbst darum kümmern.[3]

Doch eine Woche später schrieb er wieder an Jacques Durand:

> Monsieur Bas ist gekommen und hat meine Sonate [für Oboe] geprobt; das ging wie am Schnürchen. Er scheint sich gefreut zu haben, dass ich das Stück ihm gewidmet habe (oder besser gesagt die drei Stücke, aus denen das Ganze besteht).[4]

Anfang September war die Korrektur der Fahnen der neuen Stücke abgeschlossen. Die Éditions Durand veröffentlichten die drei Sonaten im November 1921.

Der Widmungsträger

Louis-Jean-Baptiste Bas (1863–1944) war erster Solo-Oboist in der Société des Concerts du Conservatoire und im Orchester der Opéra de Paris. Er hatte 1885 den Ersten Preis für Oboe am Conservatoire de Paris erhalten. Er transkribierte einige Konzerte für Oboe und Orchester von Händel für Oboe und Klavier und hinterließ pädagogische Literatur für sein Instrument, insbesondere seine *Méthode nouvelle de hautbois* (1905), die am Ende des Bandes achtzehn Etüden mit zunehmender

---

[1] Zitiert nach Gustave Samazeuilh. *Musiciens de mon temps. Chroniques et Souvenirs*. Paris (Éditions Marcel Daubin) 1947. S. 40–41.

[2] Vgl. Jean Chantavoine. *Camille Saint-Saëns*. Paris (Richard-Masse) 1947. S. 74.

[3] Zitiert nach Sabina Ratner. *Camille Saint-Saëns. A Thematic Catalogue of his Complete Works*. Band 1. New York, Oxford (Oxford University Press) 2002. S. 238.

[4] Ebd.

Schwierigkeit mit Begleitung durch ein Englischhorn und eine Triosonate von Händel enthält, deren Bassstimme für Englischhorn transkribiert ist.
Am 4. Dezember 1921 schrieb er an Saint-Saëns:

> Herr Durand hat mir ein Exemplar Ihrer schönen Sonate für Oboe und Klavier geschickt. Ich danke Ihnen nochmals und ganz ehrlich für die Ehre, sie mir gewidmet zu haben. Ich wäre sehr glücklich, wenn Sie mir ein wenig Zeit gewähren könnten, um sie zusammen mit Ihnen durchzugehen und Ihre kostbaren Ratschläge zu erhalten.[5]

Es ist kaum anzunehmen, dass dieser Wunsch von L. Bas Realität geworden ist, denn Camille Saint-Saëns starb vierzehn Tage später in Algier.

[5] Ebd. S. 237.

Editionsrichtlinien

Diese Ausgabe beruht hauptsächlich auf zwei Quellen: auf dem autographen Manuskript der Gesamt-Partitur und der Oboenstimme sowie auf der Erstausgabe der Komposition. Eine Beschreibung dieser Quellen findet sich weiter unten in den Kritischen Anmerkungen. Die Gesamt-Partitur und die Oboenstimme wurden für die vorliegende Ausgabe aneinander angeglichen. Alle in eckigen Klammern [ ] stehenden Zeichen oder Anweisungen sind Hinzufügungen des Herausgebers. Bei den weiter unten folgenden Varianten werden alle Unterschiede zwischen den Quellen aufgeführt. Dort sind zudem alle Begründungen für die Entscheidungen des Herausgebers zu finden. Die Angaben zu den wichtigsten Varianten sind fett gesetzt, in der Partitur sind die entsprechenden Stellen mit einem * bezeichnet.

Kritische Anmerkungen

Abkürzungen

Ob.: Oboe; Klav. unt.: Klavier, unteres System; S.: Seite(n)

Quellen

A: autographes Manuskript der Partitur für Klavier/Oboe im Département de la musique de la Bibliothèque nationale de France in Paris unter der Signatur Ms. 841. 19 Seiten mit je 12 Systemen, mit schwarzer Tinte geschrieben, im Querformat 32,5×25 cm. Titelseite, unbeschriebene Rückseite der Titelseite, 11 Seiten Partitur, durchnummeriert von 1–11, unbeschriebene Rückseite der Seite 11, 8 Seiten Partitur, nummeriert von 12–19, 2 unbeschriebene Seiten – Nummerierung der Seiten durch Saint-Saëns. Eingeprägt: „H. LARD-ESNAULT / Ed. BELLAMY Sr / PARIS"; Wasserzeichen: *„F. Barjon Moirans Isère"*. Titelseite in schwarzer Tinte: „Sonate / *pour Hautbois* / avec accompagnement de piano" [„Sonate / *für Oboe* / mit Klavierbegleitung"]. Auf der ersten Partiturseite mit grauem Stift: oben links „à Monsieur Louis Bas" [für Herrn Louis Bas]; in der Mitte: „Sonate / pour hautbois avec acct de Piano"; rechts: „C. Saint-Saëns". Am Ende auf S. 19 mit schwarzer Tinte signiert: „C. Saint-Saëns / 1921". Es handelt sich um das für den Druck vorbereitete Manuskript, wie zahlreiche Angaben auf der Titelseite zeigen: oben links mit grauem Stift: „M. Douin [der Stecher] / à graver / format in 4°" [„M. Douin / zum Stechen / Format in 4°"]; rechts mit blauem Stift: „Mounot" [der Drucker] und die Angabe der Anzahl der zu stechenden Seiten: 18 (Gesamtpartitur) + 7 (Oboenstimme) = 25 Seiten. Unter dem Titel links mit blauem Stift: „D.F 10062"; auf gleicher Höhe rechts mit grauem Stift: „Op. 166"; unten in der Mitte mit grauem Stift: „Cot. D-F: / Copyright by Durand & Cie 1921 / Imp. Mounot". Signatur „Ms. 841" mit schwarzer Tinte in der Mitte unter dem letzten System. Ovaler roter Stempel:„CONSERVATOIRE DE MUSIQUE * BIBLIOTHÈQUE" und runder roter Stempel: „CONSERVATOIRE NAL DE MUSIQUE * PARIS".

Ahb: autographes Manuskript der Oboenstimme, liegt unter derselben Signatur bei der Gesamtpartitur A. Titelseite, unbeschriebene Rückseite der Titelseite, 10 Seiten Partitur, geschrieben mit schwarzer Tinte. Auf der Titelseite mit schwarzer Tinte: „Hautbois" [Oboe]; oben rechts mit grauem Stift: Angabe der Anzahl der zu stechenden Seiten (7 Seiten). Auf der ersten Partiturseite mit schwarzer Tinte: „à Monsieur Louis Bas" [„für Herrn Louis Bas"]. Dieselben Stempel wie auf A.

E: Erstausgabe der Gesamtpartitur für Oboe und Klavier, Durand, 1921, Signatur D.& F. 10,062. Titelseite: „C. SAINT-SAËNS / SONATE POUR HAUTBOIS / AVEC ACCOMPAGNEMENT DE PIANO / Op. 166 / CSTS / Prix net : 6 fr. / A. Durand & Fils, Éditeurs, / Durand & Cie / Paris, 4, Place de la Madeleine / Déposé [...]". 18 Partiturseiten, nummeriert von 2–19.

Ehb: Erstausgabe der Oboenstimme, Durand 1921, eingelegt in E; dieselbe Signatur. Titelseite + 7 Seiten Partitur.

Auflage der Erstausgabe (E + Ehb): 500 Exemplare; Hinterlegung des Pflichtexemplars in Paris am 9. November 1921.

Edmond Lemaître
(deutsch von Birgit Gotzes)

Varianten

Takt	Ob. / Klav.	Quelle(n)	Anmerkungen
I Andantino			
7	Klav. unt.	A	Kein ⌣
21	Ob.	Ahb	*dim.* in der 1. Zählzeit; die vorliegende Ausgabe folgt E, A
28	Ob.	—	∧ nur in E und Ehb
30	Ob.	Ahb	Kein ∧
35	Ob.	Ahb	Kein ⌒ vom g^2 (1. Zählzeit) zum h^2 (3. Zählzeit)
43, 44	Ob.	Ahb, Ehb	⌒ von der 1. zur 2. Zählzeit, die vorliegende Ausgabe folgt A, E
60–63	Ob.	—	Fortführung des *dim.*- - - - bis zu Takt 63 nur in Ahb
69	Klav.	A	Kein *dim.*; Abkratzung: offenbar ***pp*** abgekratzt, dann in Takt 70 gesetzt
89	Klav.	A	Kein >
II *ad libitum*			
2	Ob.	Ahb	Keine 𝄐 auf dem a^2 (letzte Note)
4–5	Ob.	A	Ein durchgestrichener Takt zwischen den Takten 4 und 5 (1. Version von Takt 5)
6–7	Ob., Klav.	E	Keine 𝄐 (Fermate) zwischen den Takten 6 und 7
29–30	Ob.	A, E	⌒ über jedem Takt; ⌒ von der 1. Zählzeit von Takt 29 bis zur 3. Zählzeit von Takt 30, nur in Ehb
68	Ob.	Ahb	Kein *dim.*
III Molto allegro			
45	Klav. unt.	A	Kein >
84–85	—	A	Ein durchgestrichener Takt zwischen den Takten 84 und 85 (fehlerhafte Version von Takt 85)
94	Klav.	A	Kein >
130	**Klav. unt.**	**A, E**	*g* (statt *e*) in der 2. Zählzeit; die vorliegende Ausgabe setzt *e* in Übereinstimmung mit der Fortsetzung der Phrase
136	Ob.	—	< nur in E
137–139	Ob.	A	Radiert: eine Phrase der Oboe aus der 2. Zählzeit von Takt 137 bis zum Ende von Takt 139, radiert und ersetzt durch die Pausen bis zur 1. Zählzeit von Takt 139 inkl.; 2. Zählzeit von Takt 139: die radierte Version ist mit der korrekten überschrieben
139	Ob.	Ahb	Kein ***mf***
148	**Klav. unt.**	**A, E**	*a* (statt *fis* in der 1. Zählzeit); die vorliegende Ausgabe setzt *fis* in Übereinstimmung mit der Fortsetzung der Phrase

Anmerkungen zur Interpretation

Die *Sonate* für Oboe und Klavier, die Saint-Saëns gegen Ende seines Lebens komponiert hat, haben fast alle Oboisten im Laufe ihrer Ausbildung studiert, oft schon zu einem sehr frühen Zeitpunkt.

Sie ist tatsächlich für junge Instrumentalisten schon relativ gut zu spielen, doch ist sie wirklich so einfach? Mir scheint sie im Schnittpunkt von mehreren Spielarten zu liegen, die in ihrer Kombination etwas paradox erscheinen können:

- zunächst einmal hat die Oboe in der Sonate den für die Entstehungszeit ganz klassischen Charakter eines ländlichen, bukolischen Instruments – das zeigt besonders der pastorale Stil des zweiten Satzes;
- die Oboe wird sehr „geigerisch" eingesetzt – Saint-Saëns hatte bis zu diesem Zeitpunkt seines Lebens in seiner Kammermusik den Einsatz von Streichinstrumenten bevorzugt, mit deren Instrumentaltechnik er vertrauter war;
- und schließlich muss der Komponist, der einen großen Anteil an der Wiederentdeckung der französischen Barockkomponisten wie Jean-Philippe Rameau hatte, bei der relativen Einfachheit am Anfang der Sonate, der vielleicht klingen soll wie eine dreistimmige Invention eines Meisters aus dem 18. Jahrhundert, an diesen Stil gedacht haben.

1. Satz

Den Beginn des Stücks in diesem relativ barocken Stil gehen wir in einem Tempo an, das es uns erlaubt, seinen wiegenden Charakter im Takt spürbar werden zu lassen. Dazu orientieren wir uns an den Klavierimpulsen der ersten drei Takte und vermeiden es gleichzeitig, zu schnell zu sein, damit die dann folgenden Kontrapunkte sich in aller Deutlichkeit entwickeln können.

Auch wenn ab Takt 14 die Oboe wie ein romantisches Lied klingen kann, das auf der vierten Saite der Geige gespielt wird, sollte man vermeiden, ein verlangsamtes Tempo zu übertreiben wie zum Beispiel am Ende der vorhergehenden Synkopen (Takte 11–12). In den Läufen (Takte 28 und 30) sollte man die Tonleitern rhythmisieren, um den Schwung bis ganz zum Ende durchzuhalten.

Die Modulation bei Ziffer [1] macht es möglich, die Enharmonik zu betonen. Weiter geht es mit einem ziemlich kurzen *stringendo*, das in nur vier Takten zum neuen Tempo führt, in dem man nun weniger wie zuvor an die drei Zählzeiten, sondern an den ganzen Takt denken sollte. Bei diesem **Poco allegro** sollten die harmonischen Veränderungen hervorgehoben werden, wobei die Melodie sich in einer Art Engführung in sukzessiven Halbtönen bewegt, um zu einem ***f*** zu gelangen, das so gestaltet werden muss, dass der Triller bis zu Takt 53 durchgehalten werden kann.

Nach dieser Passage mit einem heftigen, leidenschaftlichen ternären Rhythmus führt eine lange modulierende Brücke zur Wiederholung der Exposition. Auf ganz natürliche Weise bringt uns die Komposition nach dem Sturm zur Einfachheit des Anfangs zurück. Wir sollten also nicht zu früh langsam werden...

Hingegen sollte in Takt 87 der ternäre / binäre Antagonismus übertrieben werden, der es möglich macht, vor der zweiten Zählzeit von Takt 88 zu atmen und das letzte *legato* frei und modulierend zu gestalten, mit dem es zurück nach D-Dur geht.

2. Satz

Es folgt eine Siciliana von pastoralem Charakter, die von zwei kadenzartigen Kantilenen eingerahmt wird.

Auch wenn hier dynamische Vorschriften fehlen, muss hier die Agogik, das *rubato* variiert werden, wobei die Harmonie der Anfangsakkorde zu berücksichtigen ist.

Auch das *arpeggiando* des Klaviers und die Reaktionszeit der Partie der Melodie sollten variiert werden, aber nicht auf systematische Weise.

Das Thema der Siciliana ist zwar kreisförmig angelegt, doch wie zuvor sollten auch hier nicht die Zählzeiten skandiert werden. Das gilt insbesondere für den zweiten Teil (Takte 11–12 und 15–16), wo es sinnvoll ist, die durch die Taktstriche gesetzten Grenzen zu überschreiten.

3. Satz

Auch hier wieder ein sehr „geigerischer" Stil.

Das schnelle Tempo des *legato* – konfrontiert mit dem fliegenden *staccato* – und die hohe Präzision, mit der die Oboe die wiederholten Noten spielen kann, geben diesem Satz jenen virtuosen Charakter, den Saint-Saëns so liebte.

Die Takte 50–56 sollten auf unbewegliche, fast eisige Weise gespielt werden und stehen so den darauf folgenden virtuosen, wirbelnden Sechzehnteln gegenüber.

Den ternären Passagen der Takte 77–82 oder 94–99, die immer genau genommen und durchgehalten werden sollten, stehen die flüssigen Sechzehntel gegenüber.

Saint-Saëns nutzt den gesamten Tonumfang der Oboen seiner Zeit. Die hohen Töne (*fis*^{3}, *g*^{3}) müssen immer noch ausdrucksvoller und intensiver klingen. Sie machen es möglich, besonders hier, am Schluss des Stücks, so virtuos zu enden, wie es die Tonart D-Dur verlangt.

Jacques Tys
(deutsch von Birgit Gotzes)

Introduzione

Camille Saint-Saëns (1835 – 1921) ci ha lasciato una trentina di opere di musica da camera, di cui otto per strumenti a fiato. Il primo pezzo conosciuto di Saint-Saëns è la famosa *Tarentelle* per flauto, clarinetto e pianoforte, op. 6, che compose nel 1857 a 22 anni (ne esiste anche una versione orchestrale). Seguirono la *Romance* per corno e pianoforte, op. 36 (1874), il celeberrimo *Septuor* per archi, tromba e pianoforte, op. 65 (1879), il *Caprice sur des airs Danois et Russes* per flauto, clarinetto, oboe e pianoforte, op. 79 (1887). Tutte queste opere appartengono al XIX secolo. La *Cavatine* per trombone tenore e pianoforte, op. 144, composta nel 1915, è invece più vicina al brano di cui ci occupiamo.

Per quanto riguarda le sonate, sappiamo che Saint-Saëns ne scrisse dieci, ma solamente sette sono giunte a noi: due sonate per violino (1885 e 1896); due sonate per violoncello (1872 e 1905) e le tre sonate per strumenti a fiato che compose nel 1921.

Saint-Saëns che, senza scomporsi, aveva visto passare davanti ai suoi occhi il *Quatuor* di Debussy, il *Manifesto del Futurismo*, la musica atonale, *Le Sacre du printemps* o anche *Parade* di Satie, nel 1921 era considerato da alcuni un compositore all'antica. Ben presto prese tuttavia coscienza delle accuse che gli rivolgeva la critica. Nel 1898, dopo aver sentito un'opera che considerava troppo influenzata dalla scuola moderna, scrisse al suo editore Jacques Durand:

> Un tempo la musica aveva mezzi limitati, adesso invece ha una scelta enorme. La cosa difficile non è più trovare delle note, ma usarle in modo corretto. Attualmente alcuni compositori – anche quelli buoni – mi sembrano dei bambini che schiacciano a caso i tasti del pianoforte, come se lo vedessero per la prima volta, e si meravigliano di cosa ne esce, qualunque cosa sia. Questo è ciò che cerco di evitare e che mi fa sembrare un reazionario. Sono semplicemente prudente. Non vedo la necessità di mettere dei diamanti nella minestra e di far scoppiare dei petardi durante un ballo.[1]

A metà aprile del 1921, Saint-Saëns disse al musicografo Jean Chantavoine:[2]

> In questo momento sto dedicando le mie ultime energie per dare agli strumenti poco privilegiati i mezzi per farsi ascoltare. [...] Ho appena scritto una sonata in tre parti per oboe, ancora inedita. Rimangono il clarinetto, il corno inglese, il fagotto; arriverà presto il loro turno.

Terminò dopo due mesi i brani per clarinetto e per fagotto, mentre quello per corno inglese non vedrà mai la luce. Prima di consegnare i lavori alla stampa, Saint-Saëns volle verificare che non contenessero passaggi ineseguibili, come scrisse a Jacques Durand il 14 giugno 1921:

> [...] è essenziale che i pezzi per oboe, clarinetto e fagotto siano provati da strumentisti prima della pubblicazione. Questa è tua competenza! Non me ne posso occupare io.[3]

Tuttavia, una settimana dopo, scriveva allo stesso Jacques Durand:

> Il signor Bas è venuto a provare la mia sonata [per oboe]; ha funzionato benissimo. Sembrava contento che gli avessi dedicato il brano (o meglio che gli avessi dedicato i 3 pezzi che compongono il tutto).[4]

A inizio settembre furono corrette le bozze dei nuovi pezzi. Durand pubblicò le tre sonate nel novembre 1921.

Il dedicatario

Louis-Jean-Baptiste Bas (1863 – 1944) ricoprì l'incarico di primo oboe solista della Società dei Concerti del Conservatorio e dell'Opera di Parigi. Vinse il primo premio per oboe al Conservatorio di Parigi nel 1885. Ha trascritto per oboe e pianoforte alcuni dei concerti per oboe e orchestra di Händel e lasciato una letteratura pedagogica per il suo strumento in particolare elaborando la *Méthode nouvelle de hautbois* del 1905. Il metodo contiene, alla fine del volume, diciotto studi progressivi con accompagnamento di corno inglese e una *Sonata in trio* di Händel con il basso trascritto per corno inglese. Il 4 dicembre 1921 scriveva a Saint-Saens:

> Il Signor Durand mi ha inviato una copia della Vostra bellissima sonata per oboe e pianoforte. Vi ringrazio ancora, e sinceramente, di avermi fatto l'onore di dedicarmela. Sarei molto felice se mi poteste concedere un momento, per perfezionarla con Voi e ricevere i Vostri preziosi consigli.[5]

---

[1] Citato da Gustave Samazeuilh, *Musiciens de mon temps, Chroniques et Souvenirs*, Parigi, Éditions Marcel Daubin, 1947, pp. 40 – 41.

[2] Cfr. Jean Chantavoine, *Camille Saint-Saëns*, Parigi, Richard-Masse, 1947, p. 74.

[3] Citato da Sabina Ratner, *Camille Saint-Saëns. A Thematic Catalogue of his Complete Works*, Volume 1, New York-Oxford, Oxford University Press, 2002, p. 238.

[4] *Ibidem*.

[5] *Ivi*, p. 237.

È difficile che il desiderio di Louis Bas si sia realizzato, dal momento che Camille Saint-Saëns si spense quattordici giorni dopo ad Algeri.

Principi editoriali

La presente edizione si basa su due fonti principali: il manoscritto autografo della partitura e della parte di oboe e la prima edizione dell'opera. Queste fonti sono descritte qui di seguito nelle *Note critiche*. La partitura e la parte di oboe sono state rese concordanti. I segni e le indicazioni tra parentesi quadre [ ] sono editoriali. Nelle Varianti che seguono sono state riportate tutte le differenze tra le fonti. Vi si troverà anche la motivazione delle scelte editoriali. Va infine notato che le voci in grassetto, che indicano le varianti principali, rimandano alle note a piè di pagina in partitura, che sono contrassegnate come segue: *.

Note critiche

Abbreviazioni

Ob: oboe; Pf inf: pianoforte pentagramma inferiore; batt.: battuta(e); p.: pagina(e).

Fonti

A: manoscritto autografo della partitura pianoforte/oboe conservata presso il Département de la musique della Bibliothèque nationale de France di Parigi con segnatura Ms. 841. 19 pagine con 12 pentagrammi scritti con inchiostro nero, di formato oblungo 32,5×25 cm. Frontespizio, verso bianco, 11 pagine di musica numerate da 1 a 11, verso della pagina 11 bianco, 8 pagine di musica numerate da 12 a 19, 2 pagine bianche – numerazione delle pagine per mano di Saint-Saëns. Stampigliatura "H. LARD-ESNAULT / Ed. BELLAMY S^{r} / PARIS"; filigrana: "*F. Barjon Moirans Isère*». Frontespizio, con inchiostro nero: "Sonate / *pour Hautbois* / avec accompagnement de piano". Prima pagina di musica a matita grigia: in alto, a sinistra "à Monsieur Louis Bas"; al centro: "Sonate / pour hautbois avec acc^{t} de Piano"; a destra: "C. Saint-Saëns". Alla fine, p. 19, firma del compositore con inchiostro nero "C. Saint-Saëns / 1921". Si tratta del manoscritto preparato per l'edizione, come testimoniano le numerose indicazioni sul frontespizio: in alto a sinistra, a matita grigia "M. Douin [l'incisore] / à graver / format in 4°"; a destra a matita blu "Mounot" [lo stampatore] e indicazione del numero di pagine da incidere: 18 (partitura) + 7 (parte dell'oboe) = 25 pagine. Sotto il titolo, a sinistra a matita blu "D.F 10062"; alla stessa altezza a destra a matita grigia "Op. 166"; in basso al centro a matita grigia "Cot. D-F: / Copyright by Durand & Cie 1921 / Imp. Mounot». Segnatura "Ms. 841" con inchiostro nero al centro sotto l'ultimo pentragramma. Timbro ovale di colore rosso "CONSERVATOIRE DE MUSIQUE * BIBLIOTHÈQUE" e timbro tondo di colore rosso "CONSERVATOIRE N^{AL} DE MUSIQUE * PARIS".

Ahb: manoscritto autografo della parte di oboe conservato con la partitura: stessa segnatura, stesso formato e stessa stampigliatura di A. Frontespizio, verso bianco, 10 pagine di musica scritte con inchiostro nero: "Hautbois"; in alto a destra, a matita grigia: indicazione del numero di pagine da incidere (7 pagine). Prima pagina di musica, con inchiostro nero "à Monsieur Louis Bas". Stessi timbri di A.

E: prima edizione della partitura per oboe e pianoforte, Durand, 1921, numero di catalogo D. & F. 10,062. Frontespizio: "C. SAINT-SAËNS / SONATE POUR HAUTBOIS / AVEC ACCOMPAGNEMENT DE PIANO / Op. 166 / CS^{T}S / Prix net : 6 fr. / A. Durand & Fils, Éditeurs, / Durand & Cie / Paris, 4, Place de la Madeleine / Déposé [...]." 18 pagine di musica numerate da 2 a 19.

Ehb: prima edizione della parte per oboe, Durand, 1921, inserita in E; stesso numero di catalogo. Frontespizio + 7 pagine di musica.

La prima tiratura (E + Ehb) fu di 500 esemplari; deposito a Parigi il 9 novembre 1921.

Edmond Lemaître
(traduzione di Luisella Molina)

Varianti

Battuta(e)	Ob / Pf	Fonte(i)	Osservazioni
I Andantino			
7	Pf inf	A	Manca la ‿
21	Ob	Ahb	*dim*. sul 1° tempo; seguiamo E, A
28	Ob	—	∧ solamente in E, Ehb
30	Ob	Ahb	Manca l'∧
35	Ob	Ahb	Manca la ⌒ dal *sol* (1° tempo) al *si* (3° tempo)
43,44	Ob	Ahb, Ehb	⌒ dal 1° al 2° tempo; seguiamo A, E
60–63	Ob	—	Continuazione del *dim*.- - - sino a batt. 63 solamente in Ahb
69	Pf	A	Manca il *dim.*; raschiatura: sembra raschiato un ***pp***, poi spostato a batt. 70
89	Pf	A	Manca l'>
II *ad libitum*			
2	Ob	Ahb	Manca la 𝄐 sul *la* (ultima nota)
4–5	Ob	A	Una battuta barrata tra le batt. 4–5 (1ª versione della batt. 5)
6–7	Ob, Pf	E	Manca la 𝄐 tra le batt. 6–7
29–30	Ob	A, E	⌒ su ogni battuta; ⌒ dal 1° tempo della batt. 29 al 3° tempo della batt. 30 solamente in Ehb
68	Ob	Ahb	Manca il *dim.*
III Molto allegro			
45	Pf inf	A	Manca l'>
84–85	—	A	Una battuta barrata tra le batt. 84 e 85 (versione sbagliata della batt. 85)
94	Pf	A	Manca l'>
130	**Pf inf**	**A, E**	*sol* (al posto di *mi*) sul 2° tempo; cambiamo in *mi* per coerenza con la successione di ottave della frase
136	Hb	—	< solamente in E
137–139	Hb	A	Correzione: presenza di una frase dell'oboe dal 2° tempo della batt. 137 sino alla fine della batt. 139, cancellata e sostituita con delle pause sino al 1° tempo della batt. 39 compresa; 2° tempo della batt. 139: versione corretta sovrapposta alla versione cancellata
139	Hb	Ahb	Manca il ***mf***
148	**Pf inf**	**A, E**	*la* (al posto di *fa♯* sul 1° tempo); sostituiamo con *fa♯* per coerenza con la successione di ottave della frase

Note per l'interpretazione

Noi oboisti ci siamo spesso avvicinati a questa sonata per oboe e pianoforte, che Saint-Saëns compose nell'ultimo periodo della sua vita, all'inizio del nostro percorso formativo.

In effetti, è relativamente abbordabile da giovani strumentisti, ma è veramente così facile? Mi sembra che essa si ponga nel punto di incontro fra diversi modi di suonare che possono sembrare paradossali:

- prima di tutto, il carattere classico dell'oboe in questo periodo, ossia quello di uno strumento rurale e bucolico – come testimonia il carattere pastorale del secondo movimento;
- un uso quasi violinistico dell'oboe: Saint-Saëns, sino a questo momento della sua vita, aveva privilegiato gli strumenti ad arco per la sua musica da camera poiché aveva una maggiore confidenza con la scrittura propria di questi strumenti;
- infine, questo compositore, che contribuì significativamente alla riscoperta dei musicisti barocchi francesi, quale Jean-Philippe Rameau, doveva aver avuto in mente questo stile nella relativa essenzialità dell'inizio della sonata, che forse potrebbe suonare come un'invenzione a tre voci di un maestro del XVIII secolo.

1° movimento

Veniamo quindi introdotti nel brano da questo carattere relativamente barocco, con un tempo che ci permetterà di sentire questo equilibrio nella battuta, appoggiandoci sugli impulsi del pianoforte nelle prime tre battute, ma evitando di essere troppo veloci, in modo che i contrappunti che seguono si sviluppino con chiarezza.

Anche se, a partire dalla battuta 14, l'oboe può suonare come un canto romantico sulla quarta corda del violino, eviteremo di esagerare certi rallentandi inopportuni, come la conclusione delle sincopi che precedono (battute 11 – 12).

Nelle volatine ascendenti (battute 28 e 30) le scale saranno ben scandite in modo da mantenere lo slancio sino all'ultima nota.

La modulazione al numero [1] ci permetterà di stabilire l'enarmonia. Continuiamo con questo breve *stringendo* che deve, in sole quattro battute, portarci al nuovo tempo in uno. Su questo **Poco allegro**, si comincerà a valorizzare i cambiamenti armonici, muovendo la melodia in una sorta di stretta per semitoni successivi, fino a raggiungere il ***f*** che deve comunque consentire al trillo di tendere verso la battuta 53.

La riesposizione, dopo questo passaggio dal quale emerge un tempo ternario pieno e appassionato, sarà il frutto di un lungo ponte modulante. Dopo la tempesta, la scrittura ci riporta con grande naturalezza all'essenzialità iniziale. Quindi non rallentiamo troppo presto...

D'altra parte, a battuta 87, mettiamo ben in evidenza la contrapposizione ternario/binario che ci permetterà di respirare prima del secondo tempo della battuta 88 e di dispiegare quest'ultimo *legato*, libero e modulante, che ci riporterà al Re maggiore.

2° movimento

E ora questa siciliana/pastorale incorniciata da due melopee cadenzali.

Nonostante l'assenza di indicazioni dinamiche, sarà necessario variare l'agogica, il *rubato*, tenendo conto dell'armonia degli accordi iniziali.

Variamo anche l'*arpeggiando* del pianoforte e i tempi di risposta della parte melodica che non devono essere regolari. Il tema della siciliana, per quanto circolare, deve sottrarsi a una scansione meccanica, specialmente nella seconda parte (battute 11 – 12 e 15 – 16) dove sarà opportuno scavalcare le stanghette di battuta.

3° movimento

Ed ecco di nuovo una scrittura da strumento ad arco.

La velocità controllata del *legato*, contrapposta allo *staccato* volante, e la dizione molto precisa dell'oboe sulle note ripetute, conferiscono a quest'ultimo movimento quel carattere di virtuosità a cui Saint-Saëns era affezionato.

Le battute 50 – 56, suonate come immobili, quasi congelate, si contrapporranno così alle volute virtuosistiche che seguono.

I passaggi ternari, sempre marcati e sostenuti delle battute 77 – 82 o 94 – 99, contrastano con la fluidità delle semicrome.

Saint-Saëns utilizza tutta l'estensione dello strumento del tempo. Le note acute (*fa♯*, *sol*) dovrebbero sempre suonare più espressive e intense. Esse consentono, particolarmente in questo finale, di terminare nella brillantezza che richiede la tonalità di Re maggiore.

Jacques Tys
(traduzione di Luisella Molina)

Musique française

Camille Saint-Saëns

SONATE

opus 166

pour hautbois et piano • for oboe and piano
für Oboe und Klavier • per oboe e pianoforte

Introduction historique et notes critiques • *Historical introduction and editorial notes*
Einleitung und Kritische Anmerkungen • *Introduzione storica e note critiche*

Edmond Lemaître

Notes d'interprétation • *Notes on interpretation*
Anmerkungen zur Interpretation • *Note per l'interpretazione*

Jacques Tys

Hautbois

Hautbois

à Monsieur Louis BAS
Premier Hautbois solo de la Société des Concerts du Conservatoire et de l'Opéra

SONATE

pour hautbois et piano

opus 166

Camille Saint-Saëns

I

cresc.
f
dim.
poco a poco ritenuto e diminuendo
2
Tempo I
pp
p
cresc.
f
dim.
p
pp

II

ad libitum
2
3
6
Allegretto
2
p
11
14
poco cresc.
18
21
mf
25
1
dim.
p
29

cresc.
f
dim.
p
cresc.
f
2
p
pp
cresc.
mf
f
dim.
p
rit.
ad libitum
dim.

III

62
p
68
f
10
74
f
10
sempre f
81
87
92
97
2
102
p
ossia
108
cresc.
3

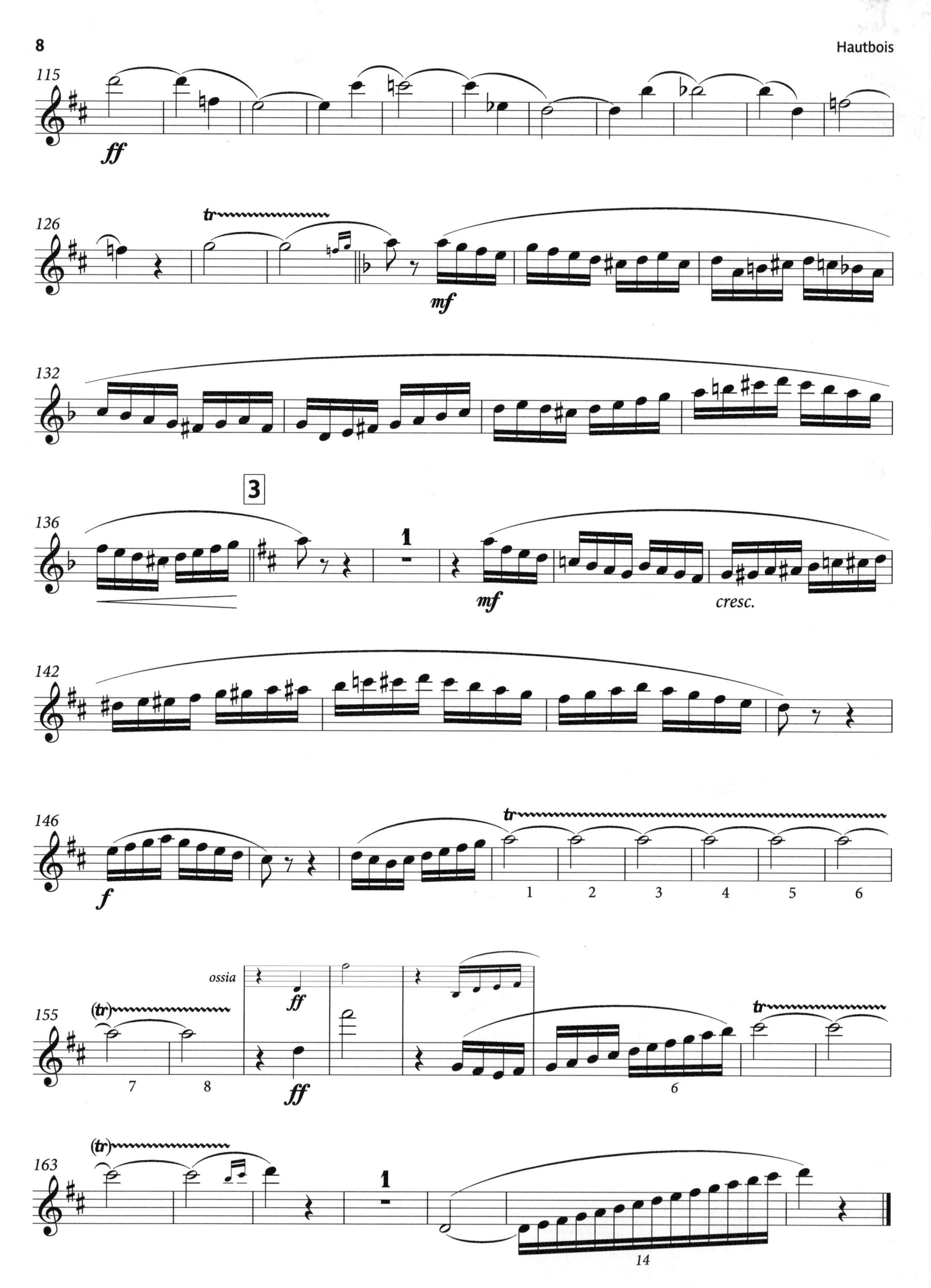
115
ff
126
tr
mf
132
3
136
1
mf
cresc.
142
146
f
tr
1
2
3
4
5
6
ossia
ff
155
(tr)
7
8
ff
6
tr
163
(tr)
1
14

à Monsieur Louis BAS
Premier Hautbois solo de la Société des Concerts du Conservatoire et de l'Opéra

SONATE

pour hautbois et piano
opus 166

Camille Saint-Saëns

I

sempre p
13
1
pp
cresc.
stringendo
stringendo
cresc.
Ped.
Ped.

Poco allegro
mf
Poco allegro
mf
cresc.
cresc.
f
f
tr

58
dim.
dim.
3
3
3
63
2
poco a poco ritenuto e diminuendo
pp
rit.
dim.
p
69
Tempo I
p
Tempo I
dim.
pp
p
75

79
cresc.
cresc.
84
f
f
89
dim.
p
p
dim.
95
tr
pp
pp

II

p
poco cresc.
poco cresc.
mf
mf

24
1
dim.
p
dim.
p
28
32
cresc.
f
dim.
cresc.
f
dim.
36
p
p

40
cresc.
cresc.
44
2
f
p
pp
mf
dim.
pp
[>]
48
cresc.
mf
cresc.
mf
52
3
3
3
3
f
f

56
dim.
dim.
60
rit.
p
rit.
p
64
ad libitum
p
66
dim.
pp

III

24
f
f
29
tr
[·]
34
39
1
tr
p
3
3
p
3

44
49
pp
pp
55
cresc.
cresc.
61
f
f
p
p

66
71
f
sempre p
10
f
76
10
sempre f
mf
81
cresc.
f

86
tr
91
96
2
101

ossia
106
cresc.
cresc.
111
f
ff
ff
Ped.
116
121

* Cf. Variantes

* Cf. Variantes

Edmond Lemaître est un musicologue français issu du Conservatoire national supérieur de musique de Paris où il obtint un Premier Prix de Musicologie.

Sa thèse sur l'orchestre est à la base de la reconstitution de l'ensemble instrumental de Louis XIV, «Les Vingt-quatre Violons du roi». Rédacteur pour plusieurs dictionnaires musicaux (Éditions Bordas, Fayard) il a dirigé le *Guide de la musique sacrée. L'âge baroque* (Fayard). Éditeur de plusieurs œuvres de l'ère baroque pour les éditions du Centre national de la recherche scientifique ou du Centre de musique baroque de Versailles, il est aussi le responsable éditorial de l'édition critique monumentale des *Œuvres complètes de Claude Debussy* pour les Éditions Durand à Paris.

Ancien Directeur du Conservatoire de musique et de Danse de Massy (Essonne) et chargé de cours à l'Université d'Évry-Val d'Essonne (Histoire de la musique et Analyse), il mène depuis toujours une activité de conférencier pour des institutions prestigieuses.

Edmond Lemaître is a French musicologist who studied at the Conservatoire national supérieur de musique, Paris, where he was awarded the Premier Prix de Musicologie.

His thesis on the history of the orchestra led to the reconstitution of the instrumental ensemble employed by Louis XIV, "Les Vingt-quatre Violons du roi." As well as being an editor for several music dictionaries (Éditions Bordas, Fayard) he directed the *Guide de la musique sacrée. L'âge baroque* (Fayard). He has edited numerous works of the Baroque period for publication by the Centre national de la recherche scientifique and Centre de musique baroque de Versailles. He is also the editorial supervisor for the complete critical edition of the *Œuvres complètes de Claude Debussy* for Éditions Durand, Paris.

Former Director of the Conservatoire de Musique et de Danse, Massy (Essonne) and lecturer at the Université d'Évry-Val d'Essonne (Histoire de la musique et Analyse), he regularly gives lectures in prestigious venues.

Edmond Lemaître ist ein französischer Musikwissenschaftler. Er hat am Conservatoire national supérieur de musique in Paris studiert, wo er mit einem Premier Prix de Musicologie ausgezeichnet wurde.

Auf seiner Dissertation über das Orchester beruht die Rekonstruktion des Instrumentalensembles von Ludwig XIV. „Les Vingt-quatre Violons du roi". Neben seiner redaktionellen Mitarbeit an mehreren Musiklexika (Éditions Bordas, Fayard) hat er den *Guide de la musique sacrée. L'âge baroque* (Fayard) herausgegeben. Er ist außerdem Herausgeber mehrerer Werke der Barockzeit für die Ausgaben des Centre national de la recherche scientifique und des Centre de musique baroque de Versailles und verantwortlicher Herausgeber der kritischen Ausgabe der *Œuvres complètes de Claude Debussy* für die Éditions Durand, Paris.

Neben seiner Tätigkeit als Früher Leiter des Conservatoire de musique et de Danse in Massy (Essonne) und als Lehrbeauftragter an der Université d'Évry-Val d'Essonne (Musikgeschichte und Analyse) wird er auch häufig von bedeutenden Institutionen zu Vorträgen eingeladen.

Edmond Lemaître è un musicologo francese formatosi al Conservatoire national supérieur de musique di Parigi dove ha conseguito un Premier Prix de Musicologie.

La sua tesi sull'orchestra è alla base della ricostruzione dell'ensemble strumentale di Luigi XIV "Les Vingt-quatre Violons du roi". Redattore per numerosi dizionari musicali (Éditions Bordas, Fayard) ha diretto la *Guide de la musique sacrée. L'âge baroque* (Fayard). Curatore di numerose opere del periodo barocco per le edizioni del Centre national de la recherche scientifique e del Centre de musique baroque de Versailles, è inoltre responsabile editoriale della monumentale edizione critica delle *Œuvres complètes de Claude Debussy* per le Éditions Durand di Parigi.

Ex direttore del Conservatoire de musique et de Danse di Massy (Essonne), tiene i corsi di Storia della musica e Analisi all'Università d'Évry-Val d'Essonne e svolge da sempre l'attività di conferenziere per prestigiose istituzioni.

Après des études au Conservatoire national supérieur de musique de Paris dans la classe de hautbois de Pierre Pierlot, **Jacques Tys** se perfectionne auprès de Maurice Bourgue et Thomas Indermühle. Lauréat des concours internationaux de Toulon, Duino et Tokyo, il rentre comme hautbois solo de l'orchestre de l'opéra de Paris. Il enseigne depuis 1992 au Conservatoire national supérieur de musique et de danse de Paris.

After studies at the Conservatoire national supérieur de musique de Paris, in the oboe class of Pierre Pierlot, **Jacques Tys** continued his training with Maurice Bourgue and Thomas Indermühle. A laureate of international competitions at Toulon, Duino and Tokyo, he became principal oboist with the Orchestre de l'opéra de Paris. Since 1992 he has taught at the Conservatoire national supérieur de musique et de danse de Paris.

Nach seinem Studium in der Oboenklasse von Pierre Pierlot am Conservatoire national supérieur de musique in Paris studierte **Jacques Tys** bei Maurice Bourgue und Thomas Indermühle weiter. Er gewann die internationalen Wettbewerbe in Toulon, Duino und Tokio und ist Solo-Oboist des Orchesters der Pariser Oper. Seit 1992 unterrichtet er am Conservatoire national supérieur de musique et de danse in Paris.

Dopo aver studiato al Conservatoire national supérieur de musique di Parigi, nella classe di oboe di Pierre Pierlot, **Jacques Tys** ha proseguito gli studi di perfezionamento con Maurice Bourgue e Thomas Indermühle. Vincitore dei concorsi internazionali di Tolone, Duino e Tokio, è oboe solista dell'orchestra dell'Opera di Parigi. Dal 1992 è insegnante al Conservatoire national supérieur de musique et de danse di Parigi.